Mes Amis les CHEVAUX

Sophie Thalmann

Un nouveau pensionnaire

Texte : Natacha Godeau
Illustrations : Isabelle Mandrou
Conception graphique du roman : Audrey Thierry

Hachette Livre, 43, quai de Grenelle, 75015 Paris.

Mes Amis les CHEVAUX

Un nouveau
pensionnaire

Sophie Thalmann

hachette
JEUNESSE

Zéphyr

Ce pur-sang arabe à la robe « alezan brûlé » est le plus rapide du haras... et il adore s'en vanter ! Sûr de lui, il agace parfois les autres chevaux. Andalou est son principal rival mais Zéphyr ne s'inquiète pas une seconde : c'est lui le meilleur, et il va le lui prouver !

Féline

Avec sa robe baie aux reflets dorés, cette jument lusitanienne a une apparence féline... D'où son nom ! Têtue, battante et fière, elle ne se laisse pas faire et obtient toujours ce qu'elle veut. Et même si elle a tendance à être très capricieuse, Andalou et Zéphyr ne sont pas insensibles à son charme !

Moustique

Mais quelle mouche a bien pu piquer cet adorable Shetland ? Très ambitieux, il déteste qu'on ne le prenne pas au sérieux et il est incapable de tenir en place. Andalou l'a même surnommé « mini-Zéphyr » tellement il aime parader !

Andalou

Andalou est le cheval préféré des enfants et de ses compagnons. Il est aimé et respecté parce qu'il est réfléchi et très courageux. Pas étonnant que Moustique rêve de lui ressembler ! Il aime passer du temps avec Féline et est en compétition avec Zéphyr.

Percheron

Percheron est un cheval de trait. En plus de son travail à la ferme, il adore faire de longues promenades en charrette avec les visiteurs. Bien que très impressionnant, il est doux et amical. C'est le cheval le plus sage, et surtout le plus gentil !

Lulu

La plus vieille jument du haras est une sorte de « cheval de secours » ! Sage et bienveillante, elle aime aussi taquiner les jeunes chevaux, surtout Zéphyr et Féline... Quant à Moustique, c'est son chouchou. D'ailleurs, c'est comme ça qu'elle le surnomme !

Sophie

Elle est toujours là pour s'occuper de ses chevaux et du haras. C'est une cavalière très douée, passionnée, et qui adore monter Féline, sa jument préférée. Lorsqu'elle ne s'occupe pas de ses animaux, elle donne des cours d'équitation aux enfants.

Prologue

La nuit tombe. Plus rien ne bouge au centre équestre. On entend juste une chouette qui hulule au sommet du vieux pin, et le chuchotement des chevaux, à l'écurie...

— Qu'est-ce qu'on s'ennuie, bougonne Zéphyr dans son box.

Il secoue sa longue crinière avec impatience. Percheron, le cheval de trait massif, remarque :

— Moi, je ne m'en plains pas. Seulement trois apprentis cavaliers, ça permet de souffler.

— Comme si tu t'en occupais !
grogne une troisième voix.

— Voyons, Féline !

Par-dessus la palissade qui
sépare leurs stalles, Andalou,
le doux étalon aux crins
d'ébène, fixe la jument d'un air
de reproche. Percheron
n'entraîne peut-
être jamais
les élèves,
mais il a beau-
coup à faire avec
les travaux du
centre équestre.
Sans compter les
promenades en

charrette dont il s'occupe, quand la maison d'hôtes reçoit des pensionnaires ou des visiteurs !

— On radote, les enfants, sou-pire soudain la vieille Lulu. On a déjà dit tout ça hier soir. Il serait temps qu'un nouveau arrive au haras : ce box vide depuis des mois, à côté du mien, ça me rend vraiment trop triste !

Féline se met à piaffer dans le foin.

— Oh oui ! Un superbe crack pourrait s'installer ici ! Un champion qui ne me quitterait pas d'un sabot !

— Jusqu'à ce qu'il découvre ton caractère de cochon ! termine alors Percheron avec malice.

Mystère au paddock

Un rayon de soleil glisse sur le sol de l'écurie. Le jour se lève pendant que les chevaux s'ébrouent dans leurs box.

— Bonjour, mes jolis !

Sophie, la jeune directrice du centre équestre, entre en

souriant, un bouquet de menthe fraîche à la main. Zéphyr hennit avec gourmandise. Les feuilles de menthe sont un régal pour les chevaux. Et elles sont idéales pour la digestion !

— Rations d'avoine, vitamines et pommes croquantes ! annonce alors Sophie.

Puis elle attache ses cheveux blonds en arrière avant de passer de stalle en stalle pour

distribuer le petit déjeuner. Elle remplit les abreuvoirs d'eau propre quand Victor, le palefrenier en chef, arrive en courant.

— Sophie ! Viens voir ! Il y a une barrière défoncée au paddock !

— Vraiment ? Où ça ?

— Du côté de la prairie. Je l'ai vue en venant, ce matin. C'est assez sérieux : n'importe qui pourrait entrer, maintenant !

Sophie fronce les sourcils. Quel manque de chance ! Elle demande :

— Tu crois qu'il faut annuler le cours d'équitation ?

— Non, je vais essayer de la réparer, répond Victor. Et si je ne termine pas à temps, on pourra toujours travailler dans l'enclos principal.

Sophie grimace. Elle n'aime pas trop accueillir les élèves au rond de détente, ce n'est pas fait pour ça ! Puis elle s'étonne :

— Mais je croyais que tu avais contrôlé les palissades, hier ?

Victor hoche la tête.

— Je l'ai fait, tout allait bien. Il a dû se passer quelque chose durant la nuit...

— Écoute, il faut tirer ça au clair. Pendant que tu me remplaces ici et que tu finis de nettoyer l'écurie, je vais jeter un coup d'œil à la barrière. D'accord ?

— D'accord !

À ces mots, Zéphyr se campe fièrement sur ses jambes. Pourvu que Sophie le choisisse pour galoper là-bas ! Mais la jeune femme décroche une belle selle de la paroi en déclarant :

— Féline, on file ensemble à la prairie !

Zéphyr se renfrogne : ce n'est

pas juste, il avait vraiment envie de se dégourdir les sabots !

Peu de temps après, de retour à l'écurie, Féline est pressée de questions par ses amis.

— Alors ? Tu nous racontes ? réclame Lulu.

— Vous n'en croirez jamais vos oreilles, réplique la jument d'un ton mystérieux.

Zéphyr souffle d'agacement.

— Arrête de faire ta super-héroïne, Féline ! On a le droit de savoir ce qui se passe !

— Oh, ça ne doit pas être bien compliqué, intervient

Percheron. J'ai déjà vu ça : un arbre a dû tomber sur la barrière. Ou bien une voi-ture l'a heurtée sans le faire exprès...

— Rien à voir, affirme Féline. Sophie a été formelle : il s'agit d'une effraction !

Andalou écarquille les yeux.

— Une quoi ?

— Une effraction. Cela signifie que quelqu'un est entré exprès dans le paddock !

— Oh !

Lulu tremble de terreur. Elle bredouille :

— Qui peut bien vouloir se faufiler en cachette dans un haras ?

— Un animal sauvage, peut-être, réfléchit à haute voix Andalou.

Après tout, la prairie d'à côté donne directement sur la forêt.

— Oui, ou pire encore : un voleur de chevaux !

— Pourquoi tu dis ça, Lulu ? C'est effrayant ! proteste Féline.

— Mais parce que je suis effrayée ! réplique la vieille jument. Et Sophie ? Elle en pense quoi ?

— Elle a juste dit qu'il fallait en avoir le cœur net, et qu'elle fouillerait les environs en début d'après-midi, avant l'arrivée des élèves.

Zéphyr se cabre en hennissant.

— Hourra ! Enfin un peu d'action, les enfants !

Une matinée bien occupée

La matinée est magnifique. Victor a sorti les chevaux en pâturage, dans l'enclos principal. Pour une fois, la vieille Lulu en profite sans rouspéter : les rayons du soleil réchauffent ses articulations douloureuses.

— Ah ! Je me sens mieux ! dit-elle, couchée dans l'herbe grasse avec Percheron.

Féline approche, l'air taquin.

— Tu n'as plus peur du voleur de chevaux, alors ?

— Nom d'une marguerite, je n'y pensais plus ! s'exclame Lulu en se redressant tout à coup. Restons debout au cas où il arriverait !

— Tu crois qu'il serait assez fou pour tenter quoi que ce soit en plein jour, à quelques mètres de la maison d'hôtes ?

— Avec ce genre de criminel, on n'est jamais sûr de rien,

Percheron. Je préfère me montrer prudente, et tu ferais bien de m'imiter, gros paresseux !

Mais le cheval de trait demeure immobile. Il voit Victor sortir la charrette de la remise, de l'autre côté de la cour pavée. Il devine que le palefrenier va venir l'atteler d'un moment à l'autre, et il tient à savourer cette dernière minute de repos. C'est tout juste s'il daigne bouger ses oreilles pour chasser la mouche aventureuse qui lui tourne autour !

— Attendez une minute ! intervient soudain Andalou. On s'inquiète, mais rien ne nous prouve que ce voleur de chevaux existe bel et bien. Tout ce que l'on sait, c'est que la palissade du paddock a été défoncée. Ça ne suffit pas pour s'alarmer !

Percheron approuve.

— Tu as raison. On s'affolera quand on en saura plus.

— Et ça risque de ne pas tarder ! enchaîne Féline. Regarde, Percheron, Victor vient par ici avec la charrette pleine de matériel. Il va t'emmener pour réparer la barrière endommagée. On compte sur toi. Et surtout, pendant que tu seras là-bas, tâche de découvrir ce qui s'est passé !

Peu après, Victor s'éloigne comme prévu sur le chemin du

paddock, avec Percheron tirant la charrette. Sophie, accoudée à la clôture du rond de détente, contemple les autres chevaux.

— Désolée de vous déranger, mais j'ai besoin de l'un de vous pour faire la tournée d'inspection du haras, lance-t-elle en ramassant une selle et des brides, posées à ses pieds.

Zéphyr galope aussitôt d'un bord à l'autre de l'enclos. Il a une allure parfaite, un port de tête majestueux... Féline lui lance :

— Pas la peine de parader. Aujourd'hui, c'est moi que Sophie a choisie !

— Elle peut changer d'avis, note le pur-sang.

Déterminé à ne pas laisser passer sa chance, il rejoint la cavalière à la clôture, effleure son épaule du bout du nez et souffle avec affection. Sophie le caresse en souriant.

— Brave Zéphyr ! Quelque chose me dit que tu ne serais pas contre une petite balade !

Le pur-sang secoue la crinière pour acquiescer. Sophie décide :

— Entendu, tu m'accompagnes ! Mais je te préviens, on cherche la piste de celui qui est entré cette nuit... On ne s'entraîne pas à la course !

Féline, vexée de s'être trompée, déclare :

— Moi au moins, je n'ai pas eu besoin de faire la belle pour plaire à Sophie, tout à l'heure !

—Je ne fais pas le beau, se défend Zéphyr. Je suis beau, c'est différent !

Sur quoi, Sophie monte en selle, et ils empruntent le sentier graveleux qui traverse l'ensemble de la propriété. Ils disparaissent bientôt au détour d'un bosquet. Andalou tente de réconforter Féline :

—Je n'aimerais pas être à la place de Zéphyr s'ils tombent sur le voleur de chevaux. On est plus en sécurité ici, à se prélasser au soleil.

— Je le sais, admet la jolie jument. Mais je déteste avoir tort !

— Tu devrais pourtant être habituée ! rétorque Lulu.

Elle dit cela d'un ton si amusant que Féline se calme et se remet à sourire.

— Après tout, vous avez raison, tous les deux, lâche-t-elle. J'aurais vraiment tort si je gâchais la fin de cette matinée.

Et elle défie aussitôt ses amis d'engloutir autant de bonne herbe fraîche qu'elle !

Pendant ce temps, Sophie et Zéphyr parcourent le centre équestre en ouvrant l'œil. Ils commencent par rejoindre Victor au paddock pour chercher des empreintes quelconques, près de la barrière mystérieusement endommagée.

— Quelqu'un a marché à cet endroit, c'est certain, constate Sophie. Mais je n'ai aucune idée de ce qui a pu laisser ce genre de traces... Un animal ? Un véhicule ? Un être humain ?

Victor soupire d'un air perplexe.

— La terre n'est pas assez molle, on ne trouvera rien d'intéressant... Par contre, j'ai l'impression que notre intrus est parti du côté du rond de détente. Tu vois les hautes herbes, au bout de l'enclos ? Elles sont couchées, comme si on avait marché dessus. Et la haie, derrière, semble avoir été piétinée...

— Merci, Victor ! Je fonce vérifier !

Sophie lance aussitôt Zéphyr dans la direction indiquée par le palefrenier. Là, elle examine le sol avec soin, sous la haie... et repère brusquement un objet insolite, camouflé dans le feuillage. Sautant de sa selle afin de s'en emparer, elle pousse un cri de surprise en apercevant

une semelle d'étrier en caoutchouc rouge.

— D'où ça vient ? s'étonne-
t-elle. On n'utilise pas ce
modèle, au haras !

Zéphyr frappe du sabot
par terre. Il a vraiment hâte
d'apprendre la nouvelle aux
autres chevaux !

Au cours d'équitation

Sa tournée d'inspection termi-
née, Sophie décide de rentrer
les chevaux à l'écurie durant la
pause déjeuner. Seul Percheron
reste au paddock avec Victor.
Midi ou pas, le palefrenier
a encore beaucoup trop à

bricoler pour s'arrêter. Heureusement qu'il a prévu de quoi pique-niquer rapidement sur place !

— Je vous laisse à chacun une belle carotte près de l'abreuvoir, lance Sophie aux chevaux. Je file manger un morceau à la maison et je reviens pour le cours d'équitation. À plus tard !

Dès qu'elle referme la porte de l'écurie, Féline s'impatiente.

— Je suis sûre que vous avez relevé des indices, Zéphyr ! Sophie avait ce drôle d'éclat, dans le regard... Parle, on t'écoute !

Le pur-sang ne se fait pas prier. Il adore être au cœur de l'attention générale !

— Sophie a ramassé une semelle d'étrier, sous la haie qui longe l'enclos. Une semelle en caoutchouc rouge.

— Rouge ? On n'en a pas de comme ça, ici ?

— En effet, Andalou. Un cavalier l'a donc perdue par mégarde en traversant le paddock...

Lulu ne peut pas s'empêcher de gémir :

— Nom d'une marguerite ! Celui qui s'est introduit chez nous cette nuit n'est donc pas un animal sauvage...

— ... Alors, c'est sans doute un voleur de chevaux ! conclut Féline, horrifiée.

Quinze heures sonnent au clocher de l'église du village voisin. La leçon d'équitation va commencer. Sophie emmène les trois petits élèves de la semaine se mettre en tenue à

la sellerie de l'écurie. Ils viennent depuis trois jours, mais Léa semble encore intimidée par les chevaux. Il faut dire qu'ils sont très grands, pour une débutante de sept ans ! Du haut de leurs douze ans,

Pierre et Justin ne rencontrent pas ce genre de difficulté. D'autant qu'ils ont déjà appris à monter sur des poneys ! Sophie n'en possédant pas, elle a hésité à accepter l'inscription de Léa à son cours. Mais les parents de la fillette ont insisté pour qu'elle accompagne son frère Justin.

— Alors, Léa, comment te sens-tu ? s'inquiète Sophie qui la voit trembler en attachant sous son menton la sangle de sa bombe.

— Bof... Victor n'est pas là, aujourd'hui ?

— Il doit finir de réparer une barrière. Mais je m'occuperai de toi.

— D'habitude, vous entraînez les garçons. Et c'est Victor qui m'aide à tenir en selle...

— Ne t'en fais pas. J'ai tout prévu.

Dans leurs box, du côté de l'écurie, les chevaux ne perdent pas une miette de la conversation.

— Pauvre Léa, commente Lulu. Tu lui as fait une de ces peurs, hier, Andalou !

— Ce n'était pas ma faute. J'ai trébuché contre un caillou, et elle a cru que j'allais accélérer...

— Vous imaginez si elle devait rencontrer le voleur de chevaux ? s'exclame Féline. Elle serait incapable de se sauver au triple galop, cette petite !

— Ne t'inquiète pas. Un voleur ne tenterait rien devant des témoins !

— Au contraire, Zéphyr : il profiterait de la faiblesse de Léa pour lui voler sa monture, et j'ai très peur que ce soit moi !

Andalou, énervé, proteste :

— Un peu de sang-froid ! Je vous rappelle que jusqu'à maintenant, rien ne nous prouve qu'il s'agit d'un voleur.

— Mais la barrière défoncée, on ne l'a pas inventée, souligne Lulu d'un ton sinistre. Pas plus que la semelle d'étrier...

Au même moment, Sophie quitte la sellerie avec les enfants et pénètre dans l'écurie.

— Justin, tu travailleras avec Andalou, pour le cours. Pierre, tu monteras Féline. Léa, j'ai décidé de te seller Lulu. Elle est moins fougueuse que les autres. Ça te rassure un peu ?

— Oui, merci.

Un rire moqueur s'échappe du fond de la stalle de Zéphyr.

— Tu es contente, Lulu ? Tu vas finir ta carrière en poney de secours !

La vieille jument ne se laisse pas faire. Elle réplique :

— Ce qui me contente, Zéphyr, c'est de repartir me promener tandis que toi, tu res-

teras bêtement dans ton box...
voleur ou pas !

La leçon d'équitation se
déroule dans le rond de longe.
Justin et Pierre, respectivement
en selle sur Andalou et Féline,

tournent au pas le long de la palissade. Ils écoutent les indications que leur crie Sophie : dos droit, menton haut, ferme sur les rênes, poignets souples. Quant à Léa, Sophie menant Lulu à la longe, elle se sent plus en confiance...

—Détends-toi, Léa. Ne presse pas les talons contre les flancs de ta monture.

— Elle est gentille, cette jument, lance la fillette.

Lulu hennit de satisfaction.

—Charmante petite ! L'aider me ferait presque oublier mes rhumatismes !

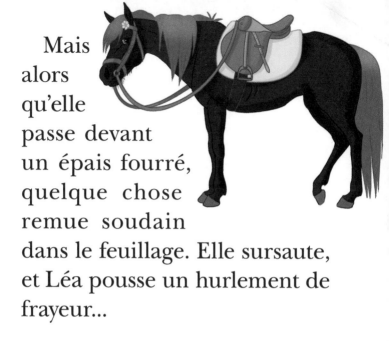

Mais
alors
qu'elle
passe devant
un épais fourré,
quelque chose
remue soudain
dans le feuillage. Elle sursaute,
et Léa pousse un hurlement de
frayeur...

La découverte

Sophie tire avec délicatesse sur la longe.

— Oh ! Tout doux, Lulu !

La vieille jument trottine vers elle. Sur son dos, Léa pleure à chaudes larmes.

— Justin, Pierre, descendez lentement de cheval et revenez par ici sans courir ! ordonne la jeune femme.

— Et les chevaux ?

— Laissez-les, ils vont vous suivre.

Ignorant ce qui se cache dans les fourrés, à l'autre bout de l'enclos, Sophie ne veut prendre aucun risque pour ses élèves. En attendant que ceux-ci la rejoignent, Andalou et Féline lèvent les naseaux et reniflent l'atmosphère, aux aguets.

— Tu sens quelque chose ? demande la jument.

— Rien de particulier, le vent est contraire. Par contre, j'ai cru entendre une sorte de grogne-ment sourd...

Féline n'ose pas l'avouer, mais la peur l'envahit. Andalou

remarque ses oreilles plaquées en arrière.

— Retourne vite auprès de Sophie, je vais jeter un coup d'œil au buisson.

— Sois prudent...

— Tu me prends pour Zéphyr, ou quoi ? plaisante l'étalon. Évidemment que je ferai attention !

La jument pose tendrement le nez sur l'encolure de son ami, comme pour l'embrasser, puis elle s'éloigne au trot. Andalou avance alors d'un pas déterminé en direction des fourrés.

— Andalou, viens par ici ! commande Sophie, en vain.

Malheureusement, les enfants n'étant pas encore revenus jusqu'à elle, elle ne peut pas lâcher la longe afin d'aller chercher le cheval aventureux. Pourvu qu'il ne lui arrive rien ! De son côté, Andalou murmure la même chose :

— Oh là là ! Pourvu qu'il ne m'arrive rien !

Le cœur battant à tout rompre, il s'arrête à une certaine distance du buis-son et scrute le feuil-lage.

Il distingue une étrange masse brune, entre les branches. Intrigué, il se risque à donner un léger coup de sabot dans le fourré... d'où s'élève aussitôt un souffle menaçant !

— Hé ! Il y a un cheval, là-derrière ? demande Andalou.

—Je ne serais pas très grand, pour un cheval, si je pouvais me cacher dans ce buisson, répond une voix espiègle.

Cette fois, l'étalon n'hésite plus. Il plonge la tête dans le feuillage, et se retrouve face à un jeune poney Shetland à la robe mouchetée et aux crins

crème qui lui tombent dans les yeux ! Il est harnaché d'une selle de cuir, mais on devine tout de même une blessure sur son dos.

— Tu es blessé ? s'étonne Andalou.

—Je me suis fait ça cette nuit, en voulant entrer dans le paddock. Je n'ai pas réussi à sauter la barrière. Je me suis pris les sabots dedans, et je l'ai défoncée en m'écroulant...

— Tu n'as pas trop mal ?

— Si, mais c'était rigolo. Au cirque, on ne m'aurait jamais permis de casser une barrière !

— Ici non plus, ce n'est pas permis.

Andalou soupire. Incroyable ! Ce poney pourrait être Zéphyr en modèle réduit !

— Bon, tu me raconteras tout ça plus tard, d'accord ? ajoute l'étalon. Pour le moment, il faut te soigner d'urgence. Je vais appeler de l'aide !

Il se redresse et lance un hennissement retentissant à l'intention de Féline. La jument interceptant son SOS, elle se tourne vers Sophie, lui attrape la manche avec les dents et l'attire vers le buisson.

— Doucement, ma jolie ! s'écrie la jeune femme. J'ai compris, tu peux me lâcher : Andalou a trouvé quelque chose. Je vais voir !

Et elle s'élance en ordonnant aux enfants :

— Ne bougez pas de là, je reviens !

Un sacré caractère

Andalou tape du pied devant les fourrés. Le poney, amusé, retrousse les lèvres sur ses dents épaisses.

— Tu danses le tango ? Tu serais plus doué en saut d'obstacles !

— Je ne danse pas, je montre à Sophie où tu es.

— Comme si elle avait besoin de ça ! Tu restes planté devant moi aussi droit qu'un i, ça devrait lui mettre la puce à l'oreille...

En effet, Sophie arrive rapidement auprès d'Andalou. Par précaution, elle l'oblige à s'éloigner du buisson. Puis elle inspecte le feuillage avec prudence... et aperçoit le poney qui la fixe de ses grands yeux sombres.

— Ça alors ! s'exclame-t-elle. Je te reconnais, tu es Moustique, du Cirque Lune !

Le poney acquiesce d'un hennissement. Elle continue :

— Qu'est-ce que tu fais ici ?

Elle remarque alors la blessure sur le dos de l'animal.

— Toi, il te faut un vétérinaire. J'appelle Albert !

Et tirant son portable de sa poche, elle compose sans tarder le numéro du cabinet médical. Andalou n'en revient pas :

— Tu connais Sophie ? demande-t-il au poney.

— Non, c'est elle qui me connaît. Je suis la vedette du Cirque Lune. On a planté le chapiteau pour un mois, sur la place du village voisin. Elle a dû voir mon spectacle. J'ai un numéro fabuleux !

Andalou, sceptique, demeure

68

silencieux. Un simple poney, vedette de tout un cirque ? Il a du mal à y croire...

— Tiens, ajoute Moustique, admire ma selle. C'est une vraie selle de professionnel !

L'étalon contemple les fines broderies colorées sur l'assise. Mais surtout, il remarque les étriers qui pendent de chaque côté : l'un d'eux a une semelle rouge, et l'autre rien du tout !

— La semelle d'étrier ! C'est toi qui l'avais perdue !

— Oh, tu l'as retrouvée ? s'inquiète le poney. Alors rends-moi service, s'il te plaît :

cache-la ! Je ne veux pas qu'on me gronde de l'avoir cassée !

Plus tard, Sophie reconduit les chevaux à l'écurie. Après la découverte de Moustique, elle a préféré annuler la leçon d'équitation. Puis elle a averti Victor qui s'est dépêché de finir les réparations avant de ramener directement Percheron. De son box, le cheval de trait voit sans mal ce qui se passe dans la cour. Et les autres comptent évidemment sur lui pour tout leur décrire !

— Maintenant, Victor aide le docteur Albert à faire descendre Moustique du van...

— Pourquoi l'ont-ils transporté jusqu'ici ?

— Oh, voyons, Zéphyr ! Ils n'allaient pas le laisser couché sous le buisson, ce petit chou ! proteste Lulu. Le vétérinaire l'a ausculté avant de le bouger. Il a pansé sa plaie et il l'a embarqué dans sa camionnette.

Le pur-sang piétine, agacé.

— Merci, Lulu, je ne suis pas totalement stupide ! Mais pourquoi Albert ne le conduit pas plutôt au cabinet médical ?

— Ou au Cirque Lune ? renchérit Andalou.

— C'est vrai, c'est quand même bizarre... approuve Féline.

— Attention, les voilà ! interrompt brutalement Percheron.

Sophie ouvre la porte en grand. Le soleil inonde l'écurie. Albert et Victor guident le poney Shetland à la stalle vacante, près de celle de Lulu, où ils l'installent dans le foin. Sophie lui remplit alors l'auge et l'abreuvoir, puis elle lui offre un morceau de sucre en le réconfortant :

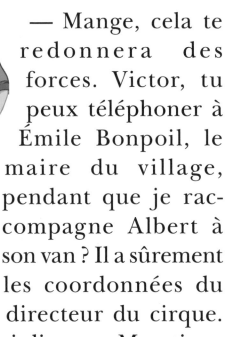

— Mange, cela te redonnera des forces. Victor, tu peux téléphoner à Émile Bonpoil, le maire du village, pendant que je raccompagne Albert à son van ? Il a sûrement les coordonnées du directeur du cirque. Je dois lui dire que Moustique est chez nous.

Une fois seuls dans l'écurie, les chevaux, fous de curiosité, observent le nouveau venu. Lulu se penche vers lui.

— Tu souffres beaucoup ?

— Non, le vétérinaire m'a bien soigné. Dans trois jours, ce sera cicatrisé.

— D'après Andalou, tu as démoli la barrière du paddock, dit Zéphyr. On peut savoir pourquoi ?

— Je voulais bondir par-dessus, mais j'ai raté.

Lulu souffle d'un air attendri.

— On ne joue pas dehors au beau milieu de la nuit, petit chou !

—Je ne jouais pas, je me suis sauvé du Cirque Lune. Et je ne suis pas un petit chou.

— Un petit chou, sans doute pas... mais un sacré caractère, ça oui ! rétorque Andalou.

Et de six

Quelle journée ! Après tant d'émotions, les chevaux sont trop fatigués pour veiller. Cependant, Percheron pose encore une question à Moustique :

— Pour quelle raison t'es-tu enfui ?

— J'en avais assez, explique le poney. Au cirque, les enfants m'adorent. C'est moi que les spectateurs viennent applaudir. Pourtant, le directeur refuse de me confier un numéro à la hauteur de mon talent ! Depuis des semaines, j'essaie de lui prouver que je suis capable de réaliser des tours géniaux. Mais il s'en fiche, il s'entête à me faire

faire le clown avec Sabu l'élé-phant !

Féline ne peut se retenir de plaisanter :

— Tu portes un chapeau pointu ? Ça doit t'aller super bien, avec ta frange !

— Bien sûr, ça me va... sauf que je mérite mieux ! Alors tant pis : j'abandonne le cirque.

Et Moustique, tombant de fatigue après sa précédente nuit blanche, s'endort soudain comme une souche. Andalou chuchote :

— Vous voyez ? Ce Moustique est un mini-Zéphyr !

— N'importe quoi ! s'insurge le pur-sang. Moi, à cet âge, j'étais capable de franchir des barrières sans les casser !

Tôt le lendemain matin, les chevaux reçoivent la visite du directeur du cirque. Moustique panique aussitôt :

— Non, je ne repartirai pas avec lui !

Lulu ferme les yeux. Au fond d'elle, elle espère aussi que Moustique restera quelque temps avec eux, car elle com-

mence déjà à s'attacher à lui... Il paraît si vantard et si obstiné qu'elle le soupçonne d'en rajouter un peu pour masquer sa sensibilité !

— J'ai immédiatement identifié votre poney, lance Sophie au directeur du Cirque Lune, en entrant derrière lui, dans l'écurie. J'avais ramassé sa semelle d'étrier, dans le paddock. Au début, j'ai cherché d'où elle provenait, et puis je me suis souvenue avoir vu les mêmes à votre spectacle. Une semelle rouge, ça se reconnaît !

Sur quoi, elle ouvre la porte du box où se tient le poney, et ajoute :

— Il s'agit bien de votre Shetland, n'est-ce pas ?

Vite, Moustique tourne le dos dans une attitude butée.

— Oui, aucun doute possible ! pouffe le directeur du cirque. Je ne peux plus rien obtenir de lui, sur scène. Je vais devoir m'en séparer. Je n'ai pas le temps de parcourir le pays à sa recherche chaque fois qu'il aura décidé de fuguer !

— Il n'est pas né au cirque ? s'enquiert Sophie.

L'homme secoue la tête.

—Je l'ai acheté sur un marché, quand il avait environ sept mois. Il était enfermé dans une minuscule cage. Je n'ai pas eu le cœur de l'abandonner.

— Pauvre chou ! s'exclame Lulu, les larmes aux yeux.

— Je ne suis pas un chou ! corrige le poney.

Sophie réfléchit un instant.

— J'aimerais vous racheter Moustique. Il me manque justement un poney, pour les cours d'équitation... reprend-elle.

— Vous oubliez juste un détail : il refuse d'obéir.

À ces mots, le poney fait volte-face et fixe Sophie d'un air angélique. La jeune femme sourit, puis elle insiste :

— Donner des cours n'a rien à voir avec du dressage de

spectacle. Je suis certaine de parvenir à mes fins avec Moustique. D'autant qu'il semble déjà se plaire ici !

— Dans ce cas, libre à vous de prendre le risque de garder cette tête de mule ! conclut le directeur.

Moustique bondit sans cesse de joie dans sa stalle.

— Youpi ! J'adore mon box près de Lulu ! Youpi !

La vieille jument est flattée, mais Féline perd patience.

— Tu nous casses les oreilles, Moustique !

— Tu as réussi à te faire adopter par Sophie, mais je peux la persuader de te revendre ! menace Zéphyr gentiment.

Le poney pirouette sur lui-même, comme au cirque.

— Je suis beaucoup trop mignon pour ça, et elle a besoin de moi pour les cours !

— Tu as du caractère, Moustique. Il va falloir apprendre à s'entendre, souligne Percheron.

— Le petit chou va faire des efforts, pas vrai ? lance Lulu, attendrie.

— Je ne suis pas un petit chou, mais je serai sage, promet alors le poney. Je veux ressembler à Andalou !

L'étalon, surpris, se rengorge de fierté. Zéphyr fulmine :

— Pitié, pas deux comme lui !

— Hourra ! Je savais que tu serais jaloux !

Moustique relève la tête, triomphant.

— La vérité sort toujours de la bouche des poneys ! récite-t-il.

Zéphyr sent l'avoine lui monter aux naseaux : quel insolent, ce nouveau pensionnaire ! Mais les autres chevaux hennissent de rire. Maintenant qu'ils sont

88

six à l'écurie, l'animation semble
de retour au haras... et, pourtant,
l'aventure ne fait que commencer !

Fin

As-tu lu toutes les histoires de Mes amis les chevaux ?

1. Un nouveau pensionnaire

2. La grande compétition

3. Un choix difficile

4. Un rival inattendu

5. Une randonnée mouvementée

6. Une rencontre inoubliable

7. La surprise de l'hiver

Retrouve Sophie et ses amis
les chevaux dans
leur prochaine aventure !

Sophie a décidé d'organiser une grande compétition
en l'honneur de Lucas Saint-Aymé et
de son cheval, Piquant du Rosier, grand champion
olympique. Nos amis les chevaux sont tous
sur les rangs, prêts à gagner la course
pour impressionner ce grand médaillé.
Mais le gagnant n'est pas toujours
celui que l'on attend...

Pour tout connaître sur ta série préférée,
inscris-toi à la newsletter du site :
www.bibliotheque-rose.com

Table

PAPIER À BASE DE
FIBRES CERTIFIÉES

⊟hachette s'engage pour
l'environnement en réduisant
l'empreinte carbone de ses livres.
Celle de cet exemplaire est de :

400 g éq. CO₂
Rendez-vous sur
www.hachette-durable.fr

Photogravure Nord Compo - Villeneuve d'Ascq

Imprimé en Roumanie par G. Canale & C. S.A.
Dépôt légal : juin 2013
Achevé d'imprimer : juillet 2014
20.3674.7/06 – ISBN 978-2-01-203674-1
Loi n° 49956 du 16 juillet 1949
sur les publications destinées à la jeunesse